Les Contes de Grimm
© Éditions Philippe Auzou, 2009

Textes réécrits par Jeanne Moineau et Agnès Vandewiele
Illustrations de Jean-Noël Rochut

Direction générale : Gauthier Auzou
Direction éditoriale : July Zaglia
Coordination éditoriale : Gwenaëlle Hamon
Fabrication : Brigitte Trichet
Mise en page : Annaïs Tassone
Couverture : Annaïs Tassone
Relecture : Anne Placier
Photogravure : Planète Couleurs
Dépôt légal : 2e trimestre 2009

Achevé d'imprimer en Chine par Book Partners China ltd

Les contes de Grimm

Illustrations de Jean-Noël Rochut

Blanche-Neige
Les Souliers de bal usés
L'Intelligente Fille du paysan

Biographie des frères Grimm

Jacob Grimm (1785-1863)
Wilhelm Grimm (1786-1859)

Derrière le nom de « frères Grimm » se cachent deux écrivains et linguistes nommés Jacob et Wilhelm Grimm.
Les deux Hessois firent tous deux leurs études à l'université de Marbourg. Wilhelm s'orienta vers la critique littéraire tandis que Jacob, lui, s'intéressa à la linguistique et à la littérature médiévale.

Au début des années 1800 débuta la compilation de contes et d'histoires que nous connaissons aujourd'hui. Le premier ouvrage de Jacob Grimm, *les Maîtres troubadours allemands*, parut en 1810. Deux ans plus tard parut le premier tome des *Contes d'enfance et du foyer*. En 1815 sortit le second volume et en 1822, il publia un troisième ouvrage contenant les remarques sur les contes des deux précédents tomes. Il fut suivi en 1825 d'une édition réduite à un volume, illustrée par son frère Ludwig Grimm.

Forts de leur réussite, les frères Grimm publièrent dans les années 1816 et 1818 deux tomes d'un recueil de légendes. Au cours de cette période, Jacob Grimm commença son travail de réflexion sur la Grammaire allemande.
De ce travail acharné naquit, en 1819, un premier tome sur la flexion et un second sur la formation des mots, achevé en 1826. Wilhelm Grimm avait entre-temps publié divers livres sur les chants héroïques allemands et les runes. En 1841, invités par Frédéric-Guillaume IV de Prusse, les frères Grimm s'installèrent à Berlin. Durant leur période berlinoise, ils se consacrèrent à la rédaction d'un dictionnaire historique de la langue allemande.

Wilhelm mourut le 16 décembre 1859. Jacob continua seul leur travail d'écriture avant de s'éteindre, le 20 septembre 1863.

BLANCHE-NEIGE

Il était une fois une reine qui cousait devant sa fenêtre dont le cadre était en bois d'ébène. C'était l'hiver. Songeuse, elle regardait le paysage. Dans un mauvais geste, elle se piqua le doigt. Trois petites gouttes de sang tombèrent dans la neige. La reine fut surprise de la beauté de ce rouge sur la neige. Elle songea : « J'aimerais tant avoir un enfant dont la peau serait aussi blanche que la neige, les lèvres aussi rouge que le sang et les cheveux aussi noirs que l'ébène. »
Quelque temps après, elle eut une petite fille qui était en tout ce qu'elle espérait. Ainsi, on l'appela Blanche-Neige. Malheureusement, la reine mourut en lui donnant naissance.

Un an plus tard, le roi se remaria
avec une autre femme très belle, mais
qui ne supportait pas que l'on soit plus
belle qu'elle. Elle avait un miroir magique.
Chaque jour, elle allait s'y admirer :
« Miroir ! Ô mon miroir, dis-moi qui est
la plus belle du royaume ? » Et le miroir
répondait : « Incontestablement, Madame,
c'est vous la plus belle du royaume. »
La reine était satisfaite de cette réponse.
Alors que Blanche-Neige avait eu ses sept ans
et devenait de plus en plus belle, la reine demanda
à son miroir : « Miroir ! Ô mon miroir, dis-moi
qui est la plus belle du royaume ? » Et le miroir
répondit : « Dame, vous êtes la plus belle ici,
mais Blanche-Neige l'est bien plus que vous. »
La reine passa par toutes les couleurs et crut
ne pas bien comprendre. De rage, elle fit venir un
chasseur. Elle lui ordonna d'emmener Blanche-Neige
dans le fin fond de la forêt et de lui prendre son cœur
et ses poumons pour lui prouver qu'il l'avait bien tuée.

Le chasseur conduisit Blanche-Neige dans la forêt. Quand ils furent arrivés, il s'apprêta à plonger son couteau dans le cœur de l'enfant. La petite se mit à pleurer et le supplia de lui laisser la vie sauve. Elle était si attendrissante et si belle que le chasseur la laissa partir en lui disant : « Ma petite, sauve-toi... » Aussi, quand un marcassin passa par là, le chasseur le tua, lui prit le cœur et les poumons pour les rapporter comme preuves à la reine. La reine ordonna qu'on les cuisine et elle les mangea.

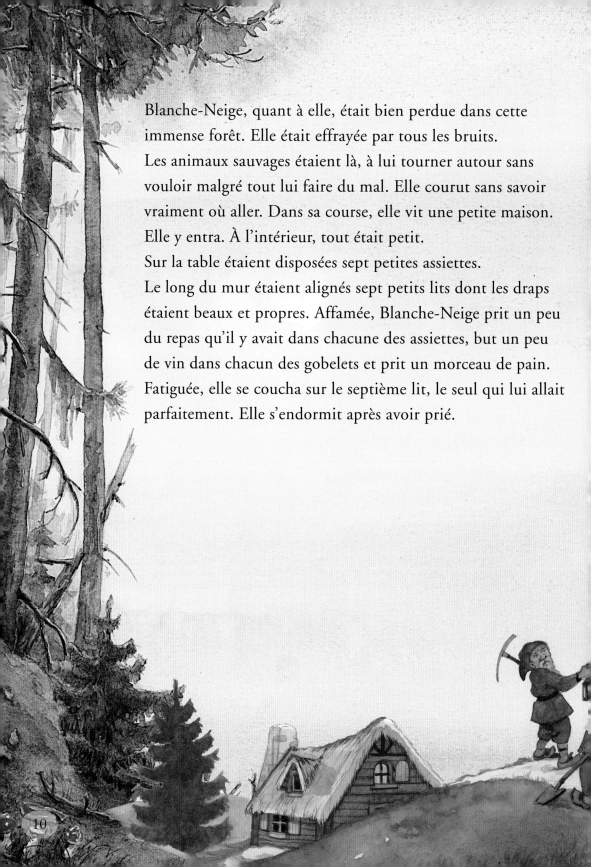

Blanche-Neige, quant à elle, était bien perdue dans cette immense forêt. Elle était effrayée par tous les bruits.

Les animaux sauvages étaient là, à lui tourner autour sans vouloir malgré tout lui faire du mal. Elle courut sans savoir vraiment où aller. Dans sa course, elle vit une petite maison. Elle y entra. À l'intérieur, tout était petit.

Sur la table étaient disposées sept petites assiettes.

Le long du mur étaient alignés sept petits lits dont les draps étaient beaux et propres. Affamée, Blanche-Neige prit un peu du repas qu'il y avait dans chacune des assiettes, but un peu de vin dans chacun des gobelets et prit un morceau de pain.

Fatiguée, elle se coucha sur le septième lit, le seul qui lui allait parfaitement. Elle s'endormit après avoir prié.

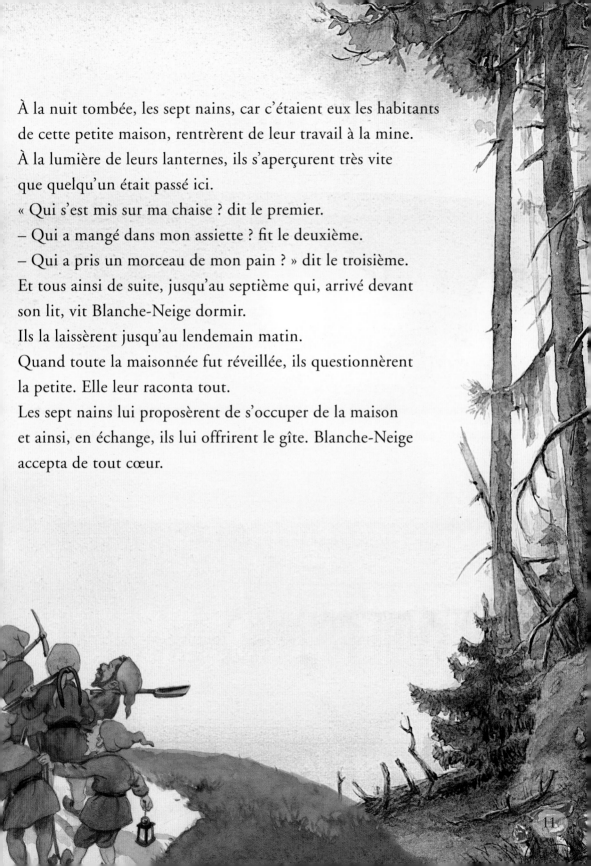

À la nuit tombée, les sept nains, car c'étaient eux les habitants de cette petite maison, rentrèrent de leur travail à la mine. À la lumière de leurs lanternes, ils s'aperçurent très vite que quelqu'un était passé ici.

« Qui s'est mis sur ma chaise ? dit le premier.

– Qui a mangé dans mon assiette ? fit le deuxième.

– Qui a pris un morceau de mon pain ? » dit le troisième.

Et tous ainsi de suite, jusqu'au septième qui, arrivé devant son lit, vit Blanche-Neige dormir.

Ils la laissèrent jusqu'au lendemain matin.

Quand toute la maisonnée fut réveillée, ils questionnèrent la petite. Elle leur raconta tout.

Les sept nains lui proposèrent de s'occuper de la maison et ainsi, en échange, ils lui offrirent le gîte. Blanche-Neige accepta de tout cœur.

Blanche-Neige restait seule toute la journée. Avant de partir, les sept nains
la mettaient en garde : elle ne devait laisser entrer personne.

Pendant ce temps, la reine, ne doutant plus de sa beauté et pensant
Blanche-Neige morte, alla se mirer devant le miroir :

« Miroir ! Ô mon miroir, dis-moi qui est la plus belle du royaume ? »

Alors le miroir répondit : « Dame, vous êtes la plus belle ici,
mais Blanche-Neige, auprès des sept nains, l'est bien plus que vous. »

La reine fut hors d'elle. Le miroir disait la vérité.

C'est ainsi qu'elle eut l'idée de se barbouiller et de s'affubler
de vieux vêtements. Ainsi, elle était méconnaissable.

Habillée en colporteuse, elle s'approcha de la maison des sept nains.

« Attention, de beaux articles à vendre ! Sortez regarder ! »

Blanche-Neige se pencha à la fenêtre pour la voir :

« Bonjour, que vendez-vous ?

– Du bel article, venez voir ! »

Blanche-Neige fit entrer la vieille.

Cette dernière lui proposa de lacer son corset
et le serra si fort que Blanche-Neige tomba
comme morte. Les sept nains revinrent heureusement
à temps pour le lui desserrer. La reine, découvrant que
Blanche-Neige s'en était sortie, trouva un autre piège et,
en lui rendant encore une fois visite, lui proposa
un peigne empoisonné qu'elle s'empressa
de lui mettre sur la tête. Les sept nains arrivèrent
de nouveau à temps pour la sauver.
Alors, la reine se déguisa en paysanne.
Elle proposa des pommes à vendre.

13

Blanche-Neige, cette fois méfiante, lui dit que cela ne l'intéressait pas.

La paysanne lui donna une pomme, la coupa en deux, croqua dans une moitié et tendit l'autre. Blanche-Neige, voyant la paysanne faire, ne put résister et mangea un morceau de la pomme empoisonnée – car elle l'était bien.

À peine l'eut-elle fait qu'elle tomba à terre, morte. Satisfaite, la reine eut confirmation par son miroir qu'elle était maintenant la plus belle.

Les sept nains, en rentrant, découvrirent Blanche-Neige qui ne respirait plus. Malheureux, ils décidèrent de la placer dans un cercueil de verre.

Un jour, un prince, voyant la belle enfant, proposa aux sept nains de la prendre et de s'en occuper. Le cercueil, porté par ses serviteurs, tomba. Blanche-Neige, dans la secousse, rendit le morceau de pomme et se réveilla. Les deux jeunes gens s'éprirent l'un de l'autre. Un grand mariage fut célébré et la reine fut invitée. Toujours dévorée par la jalousie, elle s'y rendit tout de même.

Pour la punir de sa méchanceté, on lui avait préparé des souliers de fer brûlant qu'elle dut porter pour danser jusqu'à ce que mort s'ensuive.

LES SOULIERS DE BAL USÉS

Un roi avait douze filles, toutes plus belles les unes que les autres.
Elles dormaient ensemble dans une grande pièce, alignées côte
à côte, et chaque soir, dès qu'elles étaient couchées, le roi
refermait la porte et poussait le verrou.

Or, le roi constatait tous les matins que les princesses avaient
leurs souliers usés par la danse. Personne n'était capable
d'élucider le mystère. Le roi proclama que celui qui découvrirait
où dansaient les princesses toutes les nuits pourrait choisir
une de ses filles pour épouse et deviendrait roi après sa mort.
Mais le prétendant qui, au bout de trois jours et trois nuits,
n'aurait rien découvert, aurait la tête coupée.

Un prince, qui voulait tenter sa chance, se présenta. Il fut bien
accueilli et le soir, on l'accompagna dans la chambre voisine
de celle des princesses.

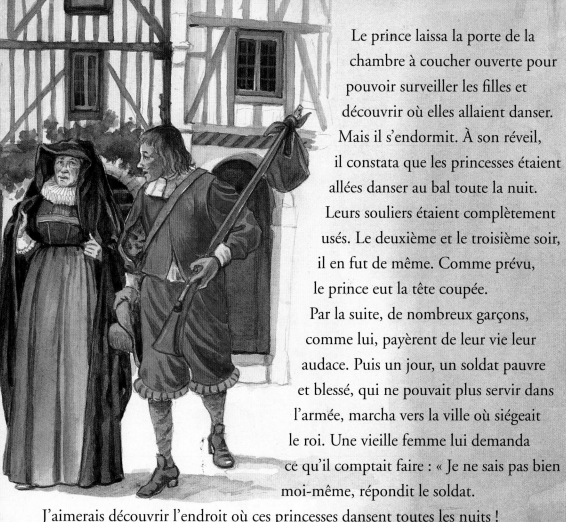

Le prince laissa la porte de la chambre à coucher ouverte pour pouvoir surveiller les filles et découvrir où elles allaient danser. Mais il s'endormit. À son réveil, il constata que les princesses étaient allées danser au bal toute la nuit. Leurs souliers étaient complètement usés. Le deuxième et le troisième soir, il en fut de même. Comme prévu, le prince eut la tête coupée.

Par la suite, de nombreux garçons, comme lui, payèrent de leur vie leur audace. Puis un jour, un soldat pauvre et blessé, qui ne pouvait plus servir dans l'armée, marcha vers la ville où siégeait le roi. Une vieille femme lui demanda ce qu'il comptait faire : « Je ne sais pas bien moi-même, répondit le soldat.

J'aimerais découvrir l'endroit où ces princesses dansent toutes les nuits !

– C'est facile, répondit la vieille femme. Il faudrait que tu ne boives pas le vin que l'on va te servir et que tu fasses semblant de dormir d'un sommeil de plomb. Prends cette cape, ainsi tu deviendras invisible, et tu pourras épier les douze danseuses. » Alors, fort de ces conseils, le jeune homme se rendit au palais pour relever le défi. Le soir venu, avant qu'il ne se couche, la princesse aînée lui apporta une coupe de vin. Mais le soldat avait caché sous son manteau un petit tuyau. Ainsi, il fit couler le vin dans le tuyau et n'en avala pas une goutte. Puis il se coucha et se mit à ronfler. Dès que les princesses l'entendirent, elles se levèrent, et préparèrent leurs robes pour la soirée. Mais la plus jeune se méfiait. « Ne sois pas inquiète, dit l'aînée. As-tu déjà oublié combien de princes nous ont déjà surveillées en vain ?

Le soldat dort profondément, il ne se réveillera pas. »
Quand les douze princesses furent prêtes, elles allèrent
jeter encore un coup d'œil sur le soldat. Il avait les yeux
fermés. Alors l'aînée s'approcha de son lit et frappa.
Le lit s'effaça aussitôt pour laisser place à un escalier souterrain.

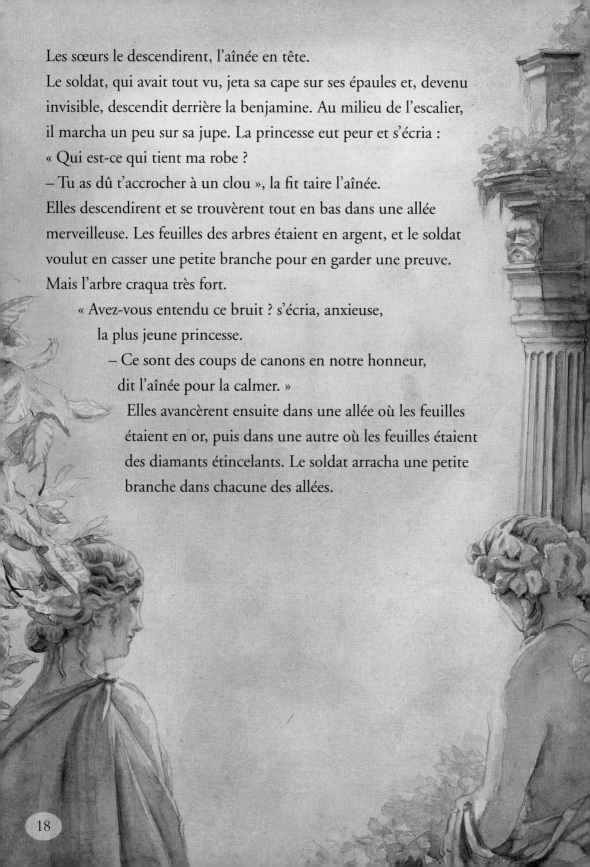

Les sœurs le descendirent, l'aînée en tête.

Le soldat, qui avait tout vu, jeta sa cape sur ses épaules et, devenu invisible, descendit derrière la benjamine. Au milieu de l'escalier, il marcha un peu sur sa jupe. La princesse eut peur et s'écria :

« Qui est-ce qui tient ma robe ?

– Tu as dû t'accrocher à un clou », la fit taire l'aînée.

Elles descendirent et se trouvèrent tout en bas dans une allée merveilleuse. Les feuilles des arbres étaient en argent, et le soldat voulut en casser une petite branche pour en garder une preuve. Mais l'arbre craqua très fort.

« Avez-vous entendu ce bruit ? s'écria, anxieuse, la plus jeune princesse.

– Ce sont des coups de canons en notre honneur, dit l'aînée pour la calmer. »

Elles avancèrent ensuite dans une allée où les feuilles étaient en or, puis dans une autre où les feuilles étaient des diamants étincelants. Le soldat arracha une petite branche dans chacune des allées.

À chaque craquement, la plus jeune des princesses sursautait.
Puis elles arrivèrent à un lac. Là voguaient douze barques avec,
dans chacune d'elles, un très beau prince.
Les douze princes attendaient leurs douze princesses.
Chacun en prit une dans sa barque. Le soldat s'assit près
de la plus jeune. « Je ne comprends pas, s'étonna le prince.
La barque me semble plus lourde que d'habitude.
– Cela doit être la chaleur », soupira la petite princesse.

Sur l'autre rive brillait un magnifique
palais illuminé, d'où s'échappait
une joyeuse musique. Les princes et les
princesses accostèrent et entrèrent dans le
palais. Puis chaque prince invita une princesse
à danser, lui offrant aussi à boire dans des coupes.
Ils dansèrent ainsi jusqu'à trois heures du matin.
À ce moment, les souliers des princesses étaient
déjà usés par la danse, et elles durent s'arrêter. Les
princes les ramenèrent sur l'autre rive.
Le soldat s'était cette fois-ci assis à côté de l'aînée.
Les princesses prirent congé des princes et
promirent de revenir. Le soldat les devança,
monta les marches et sauta dans son lit.
Quand les douze princesses arrivèrent
dans la chambre, un ronflement sonore
y résonnait déjà.

Les princesses, rassurées, rangèrent leurs souliers usés et se couchèrent.
Le lendemain, le soldat ne dit rien. Il voulait aller au moins une fois encore
avec elles pour être témoin de leurs réjouissances. Il suivit donc les princesses
la deuxième et la troisième nuit, et tout se passa exactement comme la première
fois. La troisième nuit, le soldat emporta une des coupes comme preuve.
Enfin, le soldat partit donner sa réponse au roi. Il mit dans sa poche les trois
petites branches ainsi que la coupe, et se présenta devant le trône.
Les douze princesses écoutaient derrière la porte.

Le roi demanda d'emblée : « Où mes douze filles dansent-elles pour user tous leurs souliers ?

– Dans un palais souterrain, répondit le soldat.

Elles y dansent avec douze princes. »

Et il se mit à raconter comment tout cela se passait, preuves à l'appui.

Le roi appela ses filles pour confirmer les dires du soldat.

Les princesses, voyant que leur secret était découvert, durent reconnaître les faits.

Lorsqu'elles avancèrent, le roi demanda au soldat laquelle des douze princesses il souhaitait épouser. Il choisit la fille aînée et ils se marièrent le jour même.

Le roi promit au soldat qu'après sa mort, il deviendrait roi.

Quant aux douze princes, enfermés par un sortilège dans leur palais souterrain, ils durent attendre, pour être délivrés, autant de jours qu'ils avaient dansé de nuits avec les princesses.

L'INTELLIGENTE FILLE
DU PAYSAN

Il était une fois un paysan qui n'avait pas de terre, mais seulement
une petite chaumière et une fille unique, qui lui dit un jour :
« Nous devrions demander un bout de terre à cultiver à notre
seigneur le roi. » Sa Majesté leur fit don d'un coin de pré,
et le père et la fille se mirent à retourner cette terre afin
d'y semer du blé. Comme ils finissaient de labourer le pré,
ils découvrirent un magnifique mortier d'or pur enfoui
dans la terre. « Nous devrions porter ce mortier à Sa Majesté,
qui nous a donné ce bout de terre », dit le père à sa fille.
Mais celle-ci répondit : « Père, nous ferions mieux de ne rien
dire, car il nous réclamera le pilon qui l'accompagne,
et nous ne l'avons pas. »

Mais le père ne voulut rien entendre et porta le mortier au roi, en lui expliquant qu'il l'avait trouvé en labourant son champ. Le roi examina le mortier et lui dit qu'il lui fallait aussi apporter le pilon. Le paysan eut beau dire qu'il ne l'avait pas trouvé, le roi ne le crut pas et le jeta en prison. Il devait y rester tant que le pilon n'aurait pas été retrouvé. Les serviteurs qui lui apportaient chaque jour du pain sec et de l'eau dans son cachot l'entendaient répéter sans cesse : « Ah ! Si j'avais écouté ma fille ! » Ils s'en étonnèrent et le rapportèrent au roi. Le roi, étonné, voulut parler au prisonnier et demanda au paysan les raisons de ces paroles. « Ma fille m'avait dit de ne pas apporter le mortier, car sinon, on allait me réclamer le pilon, déclara le paysan. – Quelle fille intelligente tu as ! Il faut que je la voie, s'exclama le roi. » La fille du paysan comparut devant le roi qui lui demanda si elle était aussi intelligente que cela. Il ajouta qu'il avait une énigme à lui proposer. Si elle savait y répondre, il serait prêt à l'épouser. Elle répondit aussitôt oui et voulut deviner. « Bien, dit le roi, je t'épouserai si tu peux venir vers moi ni habillée, ni nue, ni à cheval, ni en voiture, ni par la route, ni hors de la route. »

Elle s'en alla et une fois chez elle, elle se mit nue
comme un ver pour ne pas être habillée, s'enroula
dans un filet de pêche pour ne pas être nue,
loua un âne et suspendit son filet à la queue de l'âne
pour se faire tirer. Ainsi elle
n'était ni à cheval,
ni en voiture.

Ensuite, elle fit cheminer l'âne dans l'ornière, de telle manière qu'elle ne touchait le sol que du bout de l'orteil. Ainsi, elle n'allait ni par la route, ni hors de la route.

Quand il la vit arriver de cette manière, le roi déclara qu'elle avait résolu l'énigme. Il libéra le père de la prison et épousa la jeune fille qui devint la reine.

Des années plus tard, alors que le roi passait ses troupes en revue, des paysans qui revenaient de vendre leur bois s'arrêtèrent devant l'entrée du château.

Les uns avaient des attelages de bœufs, les autres de chevaux. L'un d'eux avait attelé trois chevaux, dont une jument qui venait de mettre bas. En se débattant, le poulain tomba sous le ventre de deux bœufs attelés à une charrette.

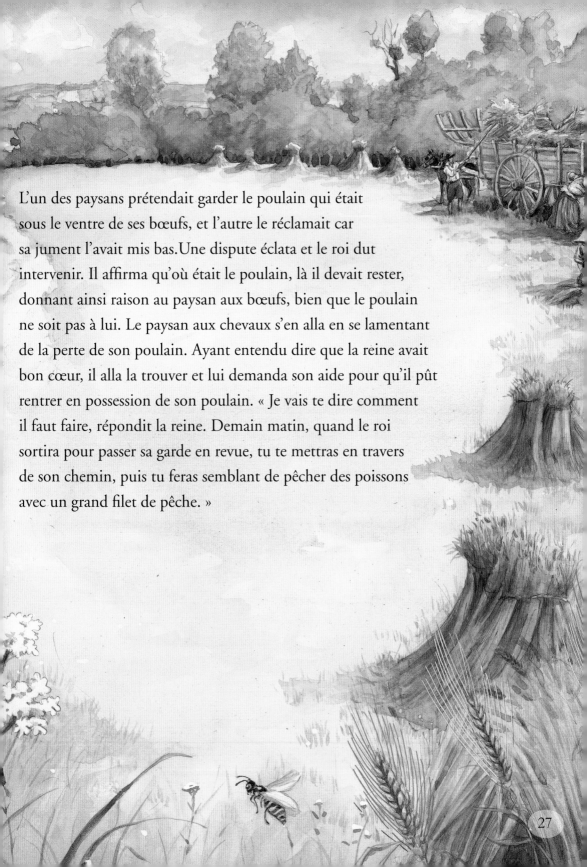

L'un des paysans prétendait garder le poulain qui était sous le ventre de ses bœufs, et l'autre le réclamait car sa jument l'avait mis bas. Une dispute éclata et le roi dut intervenir. Il affirma qu'où était le poulain, là il devait rester, donnant ainsi raison au paysan aux bœufs, bien que le poulain ne soit pas à lui. Le paysan aux chevaux s'en alla en se lamentant de la perte de son poulain. Ayant entendu dire que la reine avait bon cœur, il alla la trouver et lui demanda son aide pour qu'il pût rentrer en possession de son poulain. « Je vais te dire comment il faut faire, répondit la reine. Demain matin, quand le roi sortira pour passer sa garde en revue, tu te mettras en travers de son chemin, puis tu feras semblant de pêcher des poissons avec un grand filet de pêche. »

Elle lui dit également ce qu'il lui faudrait répondre aux questions que le roi ne manquerait pas de lui faire poser.

Le lendemain, quand passa le roi, le paysan était en train de pêcher sur le sec. Le roi envoya son messager lui demander comment il pouvait pêcher, puisqu'il n'y avait pas d'eau. « De même que deux bœufs peuvent avoir un poulain, répondit le paysan, de même on peut pêcher là où il n'y a pas d'eau ! » Le messager rapporta ces paroles au roi, qui fit venir le paysan, lui disant que cette réponse n'était pas de lui et voulait savoir de qui il l'avait apprise. Comme le paysan lui affirmait que cette réponse venait de lui, le roi le fit bâtonner si longtemps qu'il finit par reconnaître que c'était Sa Majesté la reine qui l'avait conseillé. Le roi alla trouver la reine et lui demanda : « Pourquoi cette conduite d'une duplicité impardonnable ? Je ne veux plus de toi comme épouse. Comme cadeau d'adieu, tu peux emporter avec toi la chose que tu aimes le mieux. – Très bien mon cher mari, dit la reine en l'embrassant, je ferai ce que tu dis. » Elle prépara une boisson dans laquelle elle mit un somnifère et la présenta

au roi comme le verre de l'adieu.
Le roi en but une bonne dose tandis qu'elle
faisait semblant d'y tremper ses lèvres. Quand le
roi s'endormit, elle appela ses serviteurs et on
l'enveloppa dans une toile de lin blanche.
Puis elle leur fit porter ce lourd paquet
jusqu'à sa voiture, devant la porte du
palais. Elle emporta le dormeur dans sa
chaumière et le coucha dans son lit
de jeune fille pour l'y laisser dormir
aussi longtemps que se prolongea
l'effet du somnifère.

Lorsque le roi se réveilla, il regarda, stupéfait, autour de lui, ne comprenant pas ni où il se trouvait ni ce qui lui arrivait. Il appela ses serviteurs, mais personne ne vint et nul ne répondit. Ce fut sa femme qui arriva devant son lit et qui lui dit : « Mon seigneur, vous m'avez permis d'emporter du château ce que j'aimais le plus et ce que je tenais comme le bien le plus précieux. Comme je n'aime rien au monde plus que vous, comme je n'ai aucun bien qui me soit plus précieux, je vous ai pris avec moi pour vous garder dans ma chaumière ! » Le roi, les larmes aux yeux, lui déclara : « Ma chère femme, tu es mienne comme je suis tien ! » Et il la ramena dans son château pour y célébrer de nouvelles noces.